शब्दों में पत्थर

शब्दों में पत्थर

राजी सेठ

वाणी
प्रकाशन

प्रकाशन के उत्कृष्टतम 61 वर्ष

vaniprakashan.com

सजिल्द पहला संस्करण : 2024

वाणी प्रकाशन

4695, 21-ए, दरियागंज, नयी दिल्ली-110 002

फ़ोन : +91 11 23273167, 23275710

शाखाएँ

अशोक राजपथ, पटना-800 004, बिहार

कॉफ़ी हाउस कैम्पस, महात्मा गांधी मार्ग, प्रयागराज-211 001, उत्तर प्रदेश

महात्मा गांधी अन्तरराष्ट्रीय हिन्दी विश्वविद्यालय, वर्धा-442 001, महाराष्ट्र

sales@vaniprakashan.in

vaniprakashan@gmail.com

Shabdon Mein Patthar

by Rajee Seth

ISBN : 978-93-6287-265-4

Poetry Collection

मूल्य : ₹ 400

थॉमसन प्रेस (इंडिया) लि. में मुद्रित

वाणी प्रकाशन का लोगो मक़बूल फ़िदा हुसेन की कूची से

जो

सृजन का स्रोत है

उस आत्मीय को!

अभिस्वीकृति

मेरे पिता **स्व. निरंजन नाथ सेठ** की यह प्रबल मंशा रही कि मेरी माँ **(राजी सेठ)** की यत्र-तत्र प्रकाशित कविताओं की किताब प्रकाशित हो, पर यह हो न सका। आज कविताओं के चार संग्रह (**शब्दों में पत्थर, अग्निगर्भा शब्द, शब्दों का जीवन** और **भीतर उतरने का उत्सव**) प्रत्यक्ष देखकर उल्लसित माँ और प्रतिछाया से देखते हर्षित पिता की अनन्य अनुभूति से मैं अभिभूत हूँ। उच्छ्वास का यह एहसास दिया है महात्मा गांधी अन्तरराष्ट्रीय हिन्दी विश्वविद्यालय, वर्धा के प्राक्तन प्रोफ़ेसर **डॉ. डी.एन. प्रसाद** ने; जिन्होंने पत्र-पत्रिकाओं में प्रकाशित कविताओं के साथ धूलभरी गठरी (files) में पड़ी सोयी कविताओं से धूल साफ़ कर चयन-सम्पादन के पुस्तक-प्रणयन सन्दर्भित सारे पूर्व विधान से मूर्त रूप दिया। डॉ. प्रसाद के बिना यह सब सम्भव न होता। उन्हें मेरा आत्मिक अभिवादन!

सुप्रसिद्ध चित्रकार श्री परमजीत सिंह जी का हृदय से आभार। उनकी कलाकृतियों ने पुस्तकों के आवरण को सार्थकता प्रदान की है।

इन चारों कविता-संग्रहों को एक साथ प्रकाशित कर वाणी प्रकाशन के स्वामी **श्री अरुण माहेश्वरी जी** हर्षित हैं। मैं उनको विशेष आभार व्यक्त कर अपने को गौरवान्वित महसूस कर रहा हूँ।

राहुल

4 अक्टूबर, 2024

+91-9958459221

rahulseth@yahoo.com

धनुष-टंकार हैं ये कविताएँ

पत्थर की लकीर, मील का पत्थर, काला पत्थर, सफेद पत्थर, लाल पत्थर आदि-आदि ये पत्थर क्या कहते हैं! इन सबकी प्रतीकात्मकता इन्हें अर्थवान बनाती है। ये सबके लिए प्रतीकार्थ प्रस्तुत करते हैं। और जब ये पत्थर शब्दों के पर्याय स्वरूप में आते हैं तो इनसे बिम्बार्थ की व्यंजना व्यंजित होती है। प्रतीक से बिम्ब के स्वरूप में ढल जाना **शब्दों में पत्थर** की गूँज है। शब्दों का यह गुँजायमान ही अर्थों की छटाएँ बिखेरता है, तब जाकर शब्द 'पत्थर की लकीर' बन जाते हैं– अटूट, अडिग, भरोसेमंद! लक्षण-विन्यस्त! परिप्रेक्ष्य शब्दों में पत्थर का प्रतिकार्थ स्पष्ट होता है।

कथा-साहित्य में राजी सेठ की सृजन-प्रतिष्ठा प्रतिष्ठित है। वही काव्यभाषा आपकी कविताओं को अर्थवान बनाती है। पत्थर अडिग वृत्ति का द्योतक है। राजी सेठ इस वृत्ति की व्यावहारिकी हैं, इनकी कविताएँ भी इसका संवरण करती हैं। 'शब्दों में पत्थर' इसी वृत्ति का सटिक संवरण है–

पलट नहीं पायेंगे
शब्दों में
निहित नम्यता की तरह!

क्योंकि शब्दों में पत्थर का काया-प्रवेश नम्यता के लिए नहीं होता। सच होता है, कठोर होता है, मूल्य की मर्यादा देता है। यानि कि वृत्ति-प्रवृत्ति, काल-समकाल की परिधि में धनुष-टंकार हैं ये कविताएँ!

'पवित्रता के लिए साहस' यह परम सत्य है। पवित्रता पराक्रम के साहस से आती है। विपरीत इसके पराक्रम निकृष्ट हो जाता है। कवयित्री राजी सेठ इस हक के लिए अडिग हैं—

पवित्रता को कोई कैसे देख सकता है?
तो फिर प्रेम को भी कोई कैसे देख सकता है?

जिसने भी आकाश के बीच 'अवकाश' को देख लिया, वही निरभ्र उज्ज्वलता देख सकता है, पवित्रता देख सकता है। पवित्रता के लिए एक-सा-पन व भरपूर खालीपन दोनों का समरस समन्वय आवश्यक ही नहीं परम है। आकाश, पहाड़, पेड़, सदी आपकी कविताओं के प्रतीकार्थ हैं; जीवन बोध के लिए! प्रकाश स्तम्भों के नीचे बैठकर जो गाथाएँ लिखी गयी हैं उसमें वही आत्मबोध है जीवन-बोध के हेतु! स्त्री-विमर्श की सार्थक तस्वीर उकेरती कविताएँ परम्परा के मध्य पारिवारिक शुचिता का सेतु निर्मित करती हैं जिसमें बंधन है, सुख है, सृजन है और है शाश्वत संसार!

कथात्मक आयाम में समेटती लम्बी कविताओं का शिल्प आंतरिक बाध्यता व आत्मगत संघर्ष का बाहरी परिदृश्य जो दीर्घकालिक अनुभूत-व्यथा का काव्यारोपण होता है। आकार की दृष्टि से नहीं बल्कि गहरे-घने चिंतना की परिणति होती है लम्बी कविता। प्रस्तुत संग्रह में संग्रहीत कुछ लम्बी कविताओं में 'ताजमहल और रामकली', 'तुमने क्यों पूछा', 'एक म्यान में', 'लिखना तो तुम्हें था', 'कलंक नहीं ढोयेगी सीता' अपनी आर्थी व्यंजना में सम्पुष्ट हैं, शब्दों में पत्थर की तरह....

—डॉ. डी.एन. प्रसाद
वर्धा

दो शब्द

क्षणों का एक जमाव समय की छाती से खिसककर ऐसे इतिहास रच देता है जिसकी निरन्तरता सम्पूर्ण है, जिसमें अखण्ड कुछ नहीं। जो कुछ है अखंडित एकाग्र-बोध है। एकाग्र-बोध की एकान्तिक-यात्रा एकान्त नहीं होती, अवचेतन में समग्रता का चेतन-चित पल्लवित होता रहता है। सृजन के पल-छिन में एकाग्रता केन्द्रित होकर समग्रता का आह्वान करती है, काव्य का रसोद्रेक यहीं साधारणीकृत सौन्दर्य में लोक-व्यापी बन जाता है। काव्य का प्रयोजन इसी में सिद्ध होता है।

—राजी सेठ

क्रमागत

प्रकाश-स्तम्भों के नीचे

ऐड़ लगाए दौड़ रहा समय
क्या सिर्फ इसीलिए
गलत हो जाएंगी
पीछे छूट चुकी रोशनियाँ
ठहरा था जहाँ
पल भर को काल
कीच उकेलते हाथों में भरा गया जल
एकाएक पारदर्शी हो गया था

क्या तुम्हें याद नहीं
उन्हीं प्रकाश-स्तम्भों के नीचे बैठकर
लिखी गयी थीं गाथाएँ
पलों के पराक्रम की
जो सदियों के सिरहाने खड़े
पहरुओं को
अभी तक याद है

मैं वहाँ नहीं

वहाँ
उस नगर में
उस वरगद के नीचे
भूरे रंग के दरवाज़ों वाला
एक घर था
एक माँ थी।

घर
उसी नगर में
उसी बरगद के नीचे
भूरे रंग के दरवाज़ों वाला
अब भी है
माँ
उस घर में
अब भी है।

पर
वह मेरी नहीं
उन बच्चों की माँ है
जिनका बचपन
मुझे
मेरे घर को
मेरी माँ को

धकियाता दफनाता
मेरे पीछे-पीछे
चहकता
खिलखिलाता
दौड़ता चला आया

बस्ते ही बचाते हैं

बस्ते ही बचाते हैं टूटते हुए घर
दरवाज़े खुल चुके थे
तकिये पर काढ़े हुए फूल
बाहर निकल चुके थे
पतीली में खदबदाता पानी
पेन्दे तक पहुँच चुका था
आँगन की धुआँस से
हवा घुट चुकी थी
सप्तपदी पलट रही थी।

पड़ोसी पंखे पकड़ चुके थे
हितैषी आँखें ढक चुके थे
गालों पर गुलाब
रक्त की ताज़ा गंध वाले हाथ
पाँवों में छलांग
कंधे का बस्ता
उसने खूँटी पर लटकाया
और दरवाज़ा बन्द किया

महानगर-1

इस नगर में रोज़
इसी तरह
तुम्हारे लिए भी
घिरती है शाम
उगता सवेरा

इसी तरह
इन्हीं चौराहों से आगे
खुलतीं जानी-पहचानी सड़कें
और रास्ते
और मोड़
भीतर बाहर का सब-कुछ

कुछ भी तो ऐसा नहीं होता
जिसे दौड़ कर
तुम तक ले जाने की उतावली
पंजों पर अधीर खड़ी मिले

पपड़ियों की तड़कन तले
कुछ नरमाए
कुछ हिले

इतना कहाँ थके थे

इस दर्द में जितनी-सी धार है
वह तुम्हारे मन
और मेरे मन के
बीच के फासले की है

नहीं तो
हमने क्या
धरती-आकाश
अथाह-पाताल
नहीं थाहा था?

इतना कहाँ थके थे?

पहाड़ पर बंगला

एक वृद्ध
जीवन अनुभव की पोटली काँख में दाबे
सोता-जागता
कब आवेंगे ये सब, सुनेंगे
क्या हुआ था प्रचंड शीत, जब यहाँ कोई नहीं था

क्या हुआ था हेमन्त वसन्त
जब कोयल बोली थी
कैसे निर्वस्त्र सोयी थीं घाटियाँ
शुभ्रवसना उठी थीं
कैसे इठलाती दामिनी उतरी थी गगन से
और पुचकारती गयी थी हरापन हरीतिमा का
कैसे लाल छतों ने अपना ईमान बदला
शुभ्रता के पक्ष में

प्रतीक्षा वृद्ध को शताब्दियों से
वे दौड़े-दौड़े आये
घाटी को रौंदते
शीशों के पार से झाँकते
ट्रांज़िस्टर-फिल्मी गीत
अंडों के छिलके, पापकॉर्न की थैलियाँ
कोकाकोला की ठीपरियाँ
कॉटिज की दीवारों पर फैले अवर्ण हो चुके दस्तकारी कालीन

जाज़
पॉप

धुन
आमलेट
चिकन
रम
फायरप्लेस में लपलप लपटें
बर्तनों की खटपट
शीतछुआ जल
जूठन में लिसड़े वृद्ध के हाथ
भ्रमित बुद्धि

वे क्यों जानना नहीं चाहते
क्या हुआ था आकाश को
और धरती को
और पेड़ों को
और फूलों को
और तितलियों को
उन सब दिनों
जब वे यहाँ नहीं थे

सरहद

ऐसे ही चलता रहा तो
शब्दों की देह सूख जायेगी
टप-टप टपकेगी पीड़ा
धूसर रेत पर
नि:शब्द दाग घूरा करेंगे
दिन दहाड़े लावारिस हो गये
घरों की सुनसान दीवारें!

समय

तुम्हारे हाथ की जगह
समय ने
हौले से
रख दिया अपना हाथ
इसीलिए
अनकहे अनचाहे
छूट गया साथ

यह कौन-सा राजकुल है!

चाहते बहुत रहे
कंठस्थ रहें कविताएँ
गुंजित मन के गलियारे
तहा कर रख दी जायें
जब हाथों को कहीं जाना हो
आन मिलें
साँझ ढले
जब आँखों का रिश्ता अक्षरों से धूमिल हो चुके

चाहते बहुत रहे
खिड़की की चौखट पर
टिकी रहें टकटकियाँ
दीखे आकाश
उड़ान
पेड़ों की फुनगियों से फिसलते
धूप के पाँव
सुदूर
सँवलाई गोलाई पर
झमाझम बरसात

चाहते बहुत रहे
पक्की दीवारों को लाँघकर
गोधूलि में

उठा करें
प्रार्थनाओं के समवेत स्वर
सबके होने के लिए बचा रहे
सबों का
सुखमय होना

चाहते तो इतना तक रहे, कि
छिड़काव के बाद भसकती छतों और
खरखरी खाटों पर बिछे रहें
दरियों के बिछावन
बेसुरे भोंपू की चीखों के बीच भी
बिखरी रहें
फुसफुसाहटें
तारों के झिपने को देखा करें
उनींदी आँखें....

क्या हुआ कि गूँगी हो गयी शताब्दी

ठुँस गये झरोखे
गूँजों
टकटकियों
प्रार्थनाओं
फुसफुसाहटों ने त्याग दिये ठिकाने
अभी तक तो
अंधड़ के आने को
देख लिया करते थे सयाने

यह कौन-सा राजकुल है!
जो आ रहा है
कि इतना सब जा रहा है

स्मृति

कैसे
खुल गये झरोखे
गरिमा जीने की झपटी गयी
थरथर दहशत के हाथों

चौराहे पर जिसे
दागा था
उसे तो मरना ही था

क्यों होता रहा पर ख़ून
हर घड़ी
हर चौहद्दी
चौबारे!

आकाश और खिड़की

बादल ढक सकता है आकाश को
खिड़की को नहीं
चौखट से चिपकी
दो अनझिप आँखों के असीम को नहीं

कितनी फुर्ती से
चौखट काट देती है आकाश
चौखट को कभी
लाँघ पाता नहीं
आकाश

आत्म-साक्षात्कार

एक
कोई एक
लादे लबादा
जिसे असल ने नहीं
असल से आगे जाने की इच्छा ने रचा

इच्छा ने ओढ़ा दिया लबादा उसके 'उस' को

ओढ़न सुंदर लग रही थी
सजा रही थी
छिपा भी रही थी
सही-सही जगह

लबादे सहित अब
होता है सतत्
कितना
कितना उद्यम
इच्छा से पहले के 'उस' को उगाह कर लाने का

दुःख उनको भी थे

दुःख उनको भी थे, मुझे भी
चीरते टीसते सालते उन्हें भी रहे मुझे भी
घट-दुर्घट
अरक्षा-आघात
उन पर भी रहे मुझ पर भी

मेरा दुःख महत्त बना
क्योंकि मेरे पास शब्द हैं
कह पाने के हथियार
सह पाने की अक्षमता

तभी तो वे सब चुप हैं
मैं कह रही हूँ
रचनारत क्या कभी सहता है
हर दुःख की संहिता बनाकर रहता है

खाद

तुम्हें तो रचना मिली
तुम्हें इससे क्या
क्या-क्या कुछ खाद बना

क्या-क्या था
जो लौट नहीं पाया
न पायेगा कभी
अपने में
सोया रहेगा सदियों तक
रूपान्तर की दाह सहते

तुम्हें इससे क्या
तुमने तो फूल ही देखें
पल्लव
पराग
खुश्बू
तुमने देखी कहाँ
पत्तों की शिराओं में
पीले पीप की टपकन

आकाश में उड़ता कोई वीतरागी पक्षी ही होगा
जो देखेगा और कभी नहीं कह पायेगा
पतझड़ के स्वभाव की तरह

ऐसे ही
कहीं और सुनी जाती रहेगी सदा
पत्तों के झरने की कथा

दुर्विनीत हाथ बटोरकर
फेंक देंगे
काले गढ्ढों में
सब झरे हुए पत्ते
खाद के नाम पर

कैसे उगाया गया वृक्ष

कविता के बीचो-बीच अख़बार वाला
फिर धोबी
फिर सब्जी का ठेला
फिर एक टिऽऽन
फिर एक टन्न
इसी तरह बुनी जाती रही
जीवन के घटित की धुन

बाँचने बैठा जो, तल्लीन
जानेगा क्या
कितनी दूरियाँ दबोचकर
पंक्तियों के बीच से
उगाया गया था
कोई एक वृक्ष

कितना कुछ है

एक अपंग बच्चे की माँ
रोती है
एक अंधे का डंडा
हड़बड़ी में गिर जाता है
एक कक्षा
गोली की आवाज़ से छितर जाती है

एक खजियाया कुत्ता
अपनी ही दाह से बेहाल
चीखता है

एक रात
मौत वाले घर मे हठधर्मी ठान लेती है

एक प्रातः
खुलने से इनकार करती है

एक घटना
पूरी बस्ती को
सिर पर लाद लेती है

एक गाँव
एक बारात का सामूहिक इन्तज़ार करता है

एक निर्वेद अँधेरा अकारण घिरता है
एक निरीह फूल अचानक खिलता है
एक गली यूँ ही उझक कर खत्म होती है
और अजनबी के पैर को थाम लेती है
एक रोशनी आधा कर देती है
और बढ़े हुए पाँव पर आघात करती है

कितना कुछ होता है
जो अकारण नहीं पर
जिसका कारण भी नहीं
जो असिद्ध नहीं
सिद्ध भी नहीं
जो सम्भावना की कीच में है
गात में नहीं

इस अछोर अबूझ अदृश्य का
कविता में क्या कीजिएगा
किस वाद की नोक से इन
गुत्थियों का निस्तार कीजिएगा?

आतंक-1

दीखते नहीं हाथ
जिन्होंने कुल्हाड़ी को थामा है
दीखती है
हवा में तनी
चकमक काप कुल्हाड़ी की

दीखती है बस गर्दनें
बिन तैयारी की
निरपराध

कौन-सा क्षण
कब
कहाँ गिरेगी
काप कुल्हाड़ी की!

सदी का अन्त

सदी का अन्त
आतंक
झाड़-पोंछ, नाप-तोल में हड़बड़ाये जन
है क्या सदी?
समय की एक लम्बी नदी
अंधी
अरूप
अनासक्त
उपराम
वर्ष के किसी एक दिन को अन्त
जब माना जायेगा
फिसल जायेगी वह चुपचाप
नई काया में
पहन लेगी नये वस्त्र
इठलाएगी
कुछ अंक बदल कर रख लेगी नया नाम
जबकि घटित-अघटित की सत्ता कब उसके जिम्मे थी?
उसका एक स्थायी विधान-बीतना
लाँघना
फलाँगना
दागते हुए हर कोई रास्ता
मापते हुए हर पुरुषार्थ
जाँचते हुए सब क्रियाएँ

बाँटते समय के बाँट
उच्चारते हुए—
लो यह रहा तुम्हारा अतीत
यह भविष्य
यह वर्तमान
भौचक्का मनुष्य
सदी की सुरंग में बरसों चलता
भूल ही चला
उसी के चैतन्य ने सौंपी थी समय को सता
निर्गुणता को गुण
अपनी आदिमता को नाथने के लिए
उसी ने
समय की बगल में रख दिये थे बाँट
समय ही था जिसे ऋणी होना था
उसकी सप्राणता का।

कौन-सी आत्मा

तुम कौन-सी आत्मा की बात कर रहे हो?
वह—
जिसे अस्त्र काट नहीं सकता
अग्नि जला नहीं सकती
जो अछेद्य
अचौर्य
अभेद्य
प्रकाशवान है।

या वह
जो पाव रोटी की दुकान के बाहर
विस्फारित खड़ी
रोशनदान के सीखचों का बल तौल रही है!

देश के स्तर पर

मक्खन की बाँट चल रही
ऊपर कहीं
छाछ के आलोड़न में लड़ रही मथानियाँ
भीतर कहीं
छन रही खटास रेशों में जिस तरह
जड़ों को रीता कर देने का ख़तरा
झेलेगा मेरा देश
किस तरह!

पवित्रता के लिए साहस

तुमने क्या कहा? प्रेम को देखोगे?
आओ चलो देखो।
उसने हाथ बढ़ाया। आगे एक लपट थी।
हाथ पीछे पलट आया।

आगे सागर था। उसने पैर बढ़ाये
पैर बढ़ाने में बाकी का सब कुछ पीछे रुका रह जाता था
पंजों ने बल नापा पर भीग कर लौट आये
पैरों पर चिपकी रेत के साथ शंखों के शुभ कण चमक रहे थे

'साबुत शंख कहाँ है?'
उसने सुन रखा था शंखों के मन में राग-संगीत सोया रहता है
शंख नहीं थे
चाह को, कहीं और गाने गये थे
लहरें लौट रही थीं।

'नहीं दीखा?'
चलो, फिर आकाश को देखो'
'उसे तो रोज़ देखता हूँ, आकाश के बीच तो रहता हूँ'
'तो फिर आकाश के बीच के 'अवकाश' को देखो'

'नहीं दीखा?
तो फिर दीखते हुए को देखो

देखो आकाश का सदा एक-सा पन
भरपूर खालीपन
नीली निरभ्र उज्ज्वलता
इतना अकेलापन
इतनी पवित्रता'

'पवित्रता को कोई कैसे देख सकता है?'
'तो फिर प्रेम को भी कोई कैसे देख सकता है?'

कलंक नहीं ढोयेगी सीता

तो राम!
समेटो अपना नामांकित साम्राज्ञीपन
तुम्हारे भवनों में रहकर कलंक नहीं ढोयेगी सीता
त्याग देगी तुम्हारे दिये मनोवस्त्र
लौटा देगी लक्ष्मण का तेजोदीप्त सारथ्य
पहनेगी वस्त्र शुभ्र धवल

तुम्हारी शरण के आकांक्षी
पवनसुत बने रहे तुम्हारे ढिंग
मेरे लिए तो पवन का प्रवाह पूरा देना-पावना है

भेज मँगाना राम
किसी दिन अपने राजसुत
वंशज
सातत्य
तुम्हारा राजवंश सीता की कोख का ऋण-पात्री है
लिया ही लिया (अग्नि-परीक्षा भी)
जहाँ राज ने
राजा ने
वह रंक ही तो था
उससे कुछ पाने की इच्छा से
मन आमूल खाली है
तुम रहो उन्नत, उदात्त

लिखे जाओ इतिहास के ललाट पर
मैं धरा के उर्वर अंधकार में
जिस निमिष चाहूँगी
सो जाऊँगी

यह विधान भी मैंने तो नहीं रचा राम
पर जो कुछ उगा है
फूटा है
पल्लवित हुआ है
वह धरती की कोख का आभारी है

आकाश तो अभी तक
अपने पाँव तक नहीं खोज पाया
धरती की क्षितिजाकार बाँहों पर टिका
उसका पौरुष प्रत्याशी है।

तुम्हें शुभ बना रहे
आकाश
ललाट
उत्तान अनम्यता
मैं चली सदियों की सुरंग में
जागूँगी
और लिखूँगी इतिहास
ऐसे सम्राट का
जिसने प्रणी होकर भी
मनस्वी होकर भी
अग्नि आकाश के साक्ष्य का धनी होकर भी
सप्तपदी के वचनों को नहीं माना

दे दिया जंगल को, जो
उसको अपने पार्श्व में रखना था

एक निन्दा
एक चर्चा
एक कलंक बनाकर

मैं तो एक ही बार ज्वाला दग्ध हुई थी राम
तुम्हारे मनस्ताप की दाह से तो दारूणता हारेगी!

सुखी नहीं हूँ राम
तुम्हें यह सब कहकर, पर
तुमने दिया कहाँ दाय अर्द्धांगिनी के कौशल को
जो करने पर आती है तो
पति की माता बन जाती है

मुझे कहाँ
अपने को निष्कासन दिया तुमने राम
कारा दी अपने को पाषाणी प्रासाद की
रत्नजटित मुकुट कंटकों का
छाया-सा व्रती भाई भी रह जायेगा जब
द्वार के बाहर
तुम्हारे लिए बची रहेगी
विषाद सघन रात!

कुंजों की कलित कामिनी में
पवन का स्पर्श पाते ही मैं तो सो ही लूँगी
तुम्हारी अपलक टकटकी
किस निमित्त
किस दिशा अज्ञात

रात का अधसोया राजा
प्रजा के पालक का दायित्व
निबाह पायेगा कब तक!

और प्रजा जो है
वह तो भूल भी जायेगी
दुर्घटना
निष्कासन
तुम्हारा रिक्त पार्श्व
कोलाहल
भूल जायेगी तुम्हारी हार्दिकता
करुणा
मर्यादा
परिशीलन!
लोग माँगेंगे तुम हो जाओ श्रुति
तुम बन जाओ न्याय
मूर्तिमान धीरज
सहिष्णुता
महिमा

माँगेगे तुमसे
अविकल रोशनी
दिशा
विकल्प
व्याधिहीनता
निर्विकल्प सुख
स्वाधीनता
सम्पदा!

किसे स्मरण रहेगा राम
तुम्हारे मन के नीचे की ईंट
खील-खील खंडित है
पसरा पड़ा है वहाँ हाहाकार
अवरुद्ध क्रन्दन
खोखली टकटकियाँ

अकेलेपन की कीच
गूंगा अंधकार!

मैं जहाँ भी हूँ पूरी तो हूँ
फलोल्लासी डाली की तरह
भरी-भरी उन्मुक्त
तुम चाहो तो ले लो जो मेरा भाग्य है
यह कथन भी तुम्हें देते नहीं बनता राम
तुम और मैं
जीवन संगी
बाँट नहीं सकते भाग्य
बदल नहीं सकते चौकियाँ
पालथियाँ
कर नहीं सकते दायें को बायाँ
वाम को दक्षिण
ढूँढ नहीं सकते इकट्ठे
भाग्य के जुगनूँ
हर नया सच
अपनी ही नोक पर
थरथराता रह जाता है

किसलिए फिर रची जाती है भाँवरें
अनुरागी चँदोबे के नीचे
खेले जाते हैं लग्न-राग
किसलिए दिये जाते हैं दिलासे
झमाझम पौरुष के
साँझे सुखों के
दुःखों के
साँझे आगत के
कुछ भी नहीं चलता साथ
नतमस्तक विधान

एक चक्रवर्ती सम्राट
विधि की बल्गा को लेकर
इतना दीन, इतना लाचार कि
प्रार्थना तक निरर्थक बनी रहे
उद्दिष्ट तक जाने में!

तज नहीं पा रही राम
ऐसे में तुम्हारा घर
तजना
तुम्हारी नहीं पर
तुम्हारे राजत्व की आज्ञा है
प्रजा के नाम पर
जहाँ एक धोबी को भी
प्रतिकार का हक हासिल रहा
मैं साम्राज्ञी
दोहरे दंड के भार से
गूँगी हुई जाती हूँ!

क्या कहूँ कि जाते
विदा लेते
तुम्हें ढाँढस की ओट बनी रहे
सह्य हो जाता रहे तुम्हें
सीता के बिना रहना
सह्य हो जाए तुम्हें
राजा की महिमा में
व्यक्ति की दारुणता को सह पाना

हर रात
ध्यान से सुनना तुम राम
मैं तुम्हें भेजूँगी
हवा के हिंडाले के साथ

हरित पत्रों का दोलन
जागूँगी तुम्हारे साथ
उसी व्योम में अक्लांत

उठ आऊँगी
जब तुम्हारे राज्य की रम्भा
आ खड़ी होगी हर प्रात!

आकाश ने कहा

आकाश ने कहा-
वह रहेगा नहीं जल में
न थल में
न धरती पर न बस्ती में
न नगर में न जंगल में
न पेड़ों पर न घरों में
न तन में न मन में
न चुनेगा कुछ न छोड़ेगा कभी
वह रहेगा अभीत
निर्प्रीत, अखंड,
सब कहीं

घर ने कहा-मैं बाँट दूँगा तुम्हें
खड़ा रखूँगा बाहर
दरवाज़ा बन्द करके
जल ने कहा-धर लूँगा तुम्हें भीतर
प्रतिबिम्ब बनाकर
बस्ती ने कहा–बना लूँगी तुम्हें अपनी छत
धरती ने कहा–टिका लूँगी तुम्हें अपनी बाँहों पर
पेड़ों ने कहा–उचक कर चाक कर देंगे तुम्हारा सीना
तन ने कहा–मुझे नहीं चाहिए अपहुँच
मन ने कहा–तू निस्सम्बन्ध अमूर्त
आकाश हँसा, चमका, गड़गड़ाया,
फिर बरस गया सब पर
सब कहीं...

क्यों डरे तुम पिता

एक दिन
मैंने तुम्हें कहा था, कि
पहला-पहला जो गीत होगा
वह मैं तुम्हारे लिए गाऊँगी

''लड़कियाँ गाती नहीं
अपने घरों को चुपचाप चली जाती हैं
वहाँ जाकर रहती हैं, जैसे
आँख में काजल की लकीर''

तुमने तो पूछा भी नहीं पिता, कि
पहला ही गीत
तुम्हारे ही लिए
मैं ही क्यों गाऊँगी
वह गीत ही क्यों होगा
जो मैं गाना चाहूँगी

तुम मेरे गाने से डरे थे, पिता–
या जाने की बात भूल जाने से?

दृष्टि की आरी

दृष्टि की छोटी-सी आरी
कैसे तुम्हें काट गयी
हे महाकाल
अनन्त

नामों से दाग गयी
यह रहा तुम्हारा भूत
यह वर्तमान
यह भविष्य–

अनवरत

एक सनातन समय मेरे भीतर सोता है
एक मेरे सामने भागता-दौड़ता है
एक मेरे सामने की भित्तियों पर
कुछ ऊँचा अंकित

मेरे गर्भ का अंशज
जिसे अलीक उतारेगा
और मुझे धर लेगा
फिर से
अपने भीतर!

बस उतना

आकाश यों तो किसी का घर नहीं होता
चाहने भर से
कोई उसे बाँहों में
भर नहीं लेता
नहीं सकता

जितना बँधता है उतना
बस उतना
हर किसी का आकाश
जिसके खोने में व्यथा
पाने में विलास!

औसत

उसके पास अंक थे
केवल पाँच
पर धकियाने को कोहनियाँ
झुठलाने को जुबान
हथियाने को कड़ियल हाथ
पलथियाने को पृथुल नितम्ब

वह कब से समझाने में थी कि
अंक क्योंकर रहे पाँच
नब्बे को जोड़ लें तो
पंचान्नवे नहीं बैठेंगे?
मेरे पास नहीं तो
आपके पास नब्बे हैं तो सही जनाब

औसत बिठाने का ढब भी तो चाहिए मेहरबान
जो आपके पास तो
टका भर भी नहीं!

हथेली भर जगह

कितनी बड़ी जगह
मेरे इर्द-गिर्द
पीले भुरभुरे पतों से ढकी है
पर
एक हथेली भर जगह
ठीक
मेरी बगल में
बिन ढकी बची है
किस उम्मीद के लिए?

अग्रगामी

क्या वे उत्तर देंगे,
क्या वे उत्तर दे सकते हैं, उन प्रश्नों का
जो केवल उन्हें ही देना था

उत्तर उनको ही देना था
क्योंकि वे ही तो थे जो
आगे जाती नावों में चढ़ते दीखे थे
अपने आप

हमारे जाने बिना
वे अचानक
नावों में थे
और हम धरती पर खड़े थे
प्रश्नाहत!

वे क्यों
नावों में जा खड़े हुए थे, जब
कुछ नहीं था उनके पास
साथ ले जाने को,
या हमें देकर जाने को

क्यों इतने भूले-भौचक्क से थे वे सब
जब उत्तर उनसे ही आना था
उन्हें ही
आगे चलने वाली नावों में जाना था!

सह जन्माओं से

तुम हथियारों को
पैना करती रहो
पुरुष को निर्वीर्य करने में

मैं स्वीकारती हूँ
अपना
आद्यान्त
स्त्री होना
होना–

बुहारती हूँ धुआँ पुती दीवारें
दुलारती हूँ अपनी कोख
दुधमुहों के मुँह में
तेज का अंगार भरने को

आत्मबोध

व्यक्तियों में उत्तर नहीं मिलते
व्यक्ति समकक्ष चलते
साथ-साथ

प्रकृति में उत्तर मिल सकते हैं
पर दृष्टि सीमित
लीकबद्ध
अंतरिक्ष में एक असीम
परिव्याप्त

चलो, लौट चलें
अवाक् अंधेरे की कंदरा में
जहाँ मात्र एक किरण
प्रकाशित करने को प्रस्तुत
पुरा देशकाल

जन्म-दिन

जन्म-दिन
फोन
प्रवास से संदेश– 'हैपी बर्थडे ममा!'

नहीं, तुमने 'माँ' कहा था
उतनी-सी नमी बच गयी थी
सम्बोधन के संचरण में
उतना-सा चेहरा नज़र आया था तुम्हारा
वर्षों के पैरहन को चीरता
उतनी-सी स्पर्शी थी मुझे हवा
दुलराते आते उन शब्दों को

थैंक्यू सन, प्रे यू लिव लाँग
उत्तर यही था जो मेरे मन में उगा था अनायास
औचक ही
उचके थे मेरे पाँव, सीमाओं के पार
जहाँ की घनघोर रात्रि में
उनीदें स्वरों में ठिलता
आया था संदेश
मेरे देश के सुप्रभात में
मेरे नाम!

‘हाऊ कम यू आर विशिंग मी टुडे
इट्स नॉट माय बर्थडे?’
तुमने कहा था मैंने सुना था

आयविल, नाऊ एंड फॉरऐवर
मैंने जो कहा
क्या तुमने सुना?

उन बच्चों को

बाधा दीखती है
दीवार नहीं दीखती
जिसके पार से
उन बच्चों को
अँगुली थामे लाना था

बुवाई का वक्त
निकलता जा रहा
बीज बेगाने कितने लग रहे
मेढ़ से लगकर खड़े
दर्शकों की भीड़ में

बोना चाहा स्थायित्व

उन सबों ने जमायी थी ईंटें
उगाये थे पेड़
अपने घरों के सामने

जमायी नहीं थी ईंटें
उगाये नहीं थे पेड़
अपने घरों के सामने
बोना चाहा था स्थायित्व
देखनी चाही थी अनश्वरता
उन्होंने अपने गिर्द

चीखते कब से वेद-पुराण
मिट-मिट कर दोहराता जीवन
मंच की भाषा में
झल्लाया शेक्सपियर–
संसार एक घूमता हुआ रंगमंच
अभिनेता अनगिनत
भूमिकाएँ विविध
बदलते हर बार प्यादे
मुखौटे
रास्तों पर जिस दिशा के निर्देश खुदे हैं
उसका नाम है नश्वरता
यह जो है

हर सदी अनश्वरता को नाथने का उपक्रम
क्या है?
दुर्जेय को जीतने का आकर्षण
या विराट के पटल पर
नाचते-गाते
हो गुजरने की इच्छा अदमित?
जैसे निकलती है झाँकियाँ
नाचते-किलकते नर्तक
आसीन राजा के सम्मुख

जानते हुए कि
आगे कुछ भी नहीं होगा
कुछ है सिद्ध
और स्थायी
और मुक्त
तो केवल नश्वरता!

चुप्पियाँ

चुप्पियाँ भी तो थीं
जो डूबी बैठी थीं समन्दर के
पानी के अन्दर

जैसे लूटे हुए खजानों का आगार
पारदर्शी शीशों की दीवारों वाला जहाज
ले चला वहाँ
जहाँ कगार पर कोहनी टिकाये
टकटकी में समायी आँख
देखती है दृश्य भीतर का

एक ओर
गुड़ी-मुड़ी मोतियों की लदान
अगणित हीरे-जवाहरात
टेढ़ा खुभा हुआ ताज
सोने से मढ़े संदूक
राजा के हाथ का सुनहला राजदण्ड
रत्नजटित आयुध
दिन की देह की तरह उघड़ा पूरमपूर साम्राज्य
जो पता नहीं, चुप्पियों की तरह, कब
कौन से भूकंप में डूबा था
गाइड ने कहा–कब के अनजाने
डूबे हैं खजाने

उसके गर्भ में
गर्भ को क्या पता नहीं होगा अपनी अलिखित
चुप्पियों के रहस्य
वह क्यों अ-भक्त
रह गया सैर कुछ मुसाफिरों के मन की

सैर और चुप्पी के बीच कोई रिश्ता नहीं बनता
चुप्पी और चुप हो जाती है सैर के नाम पर
चुप्पी सीप की तरह खुलना चाहती है
दबे हुए खज़ानों के ध्यान में
चुप्पी होना चाहती है स्वाति नक्षत्र की चाहना

गर्भ की कीच में खुभे हुए मोती
ताकते हैं टुकटुक
पास नहीं आते
काँच की दीवारों पर सिर पटकता स्पर्श
उँगलियों के भीतर थरथराता है
चुप्पी फिर से डुबकी में जीने के लिए
पलट पड़ती है
गिरती है औंधी

उसे मुसाफिरों की सफ़री आँख का
उत्साह नहीं होना था

उचाट

यक़ीन नहीं होता न?
न हो
पर ऐसा हुआ था
दालान में खड़े तीन खम्भों वाले घर में
फ्रॉक पहने लड़की को सतत्
लगा करता अनवरत

साँझ ढले बदहवास बौराई
खम्भों की चिकनी गोलाई पर
एक हथेली बाँधे
गोल-गोल घूमती थी लड़की
सारे दिखने को
ओझल में आलोड़ती थी लड़की

फिरकी-सी चाल
पीठ की कमाल
आकाश को मुख
खम्भों के गिर्द
तेज़ और तेज़ घूमती थी लड़की
आहत
चक्राहत होती हुई लड़की
उलीचती थी क्रोध–
क्यों? क्यों? क्यों?

कहा तुमने पिता
इस जाने के बाद दूसरा
फिर तीसरा

फिर कई
कम-से-कम चौरासी लाख श्रेणियाँ
योनियाँ
हमारे लिए नियुक्त
क्यों हम सदा अभियुक्त

अब होगा कब
किस घड़ी
ऐसे जाना
जिसके बाद कभी-कभी
नहीं होगा आना
खम्भों वाले 'बाहर' के बीच।

ताजमहल और रामकली

देती थी मैं तुम्हें बासी रोटी
बची हुई खिचड़ी
बुसे हुए समोसे
काली छाल के केले

मेहमान-नवाजी की प्रचुरता से पीड़ित जूठन
कभी, किसी दिन हुक-टूटे ब्लाउज
छेददार स्वैटर
जो जो कुछ दिया तुमने कृतज्ञ होकर लिया

खूब मनचीता जुड़ाव
देने और लेने का पुल
तुम कृतज्ञ, मैं परितुष्ट
कितनी परदु:ख कातर मैं
आत्ममुग्ध!

यह तो उस दिन ऐसा हुआ
मैंने तुम्हें ताजमहल दिया
दरअसल हुआ यह, कि
उसकी एक मीनार दरक गयी थी
गर्भ के गुम्बद को भी, एक
काली कुटिल रेख चाक कर गयी थी
वह था, कि

मुझसे सहा नहीं जा रहा था
घर के सजे-धजे कोनों ने विरोध तान रखा था
फेंक दूँ, ऐसा कोई उपक्रम भी पूरी तरह
निष्फल गया था

बासन चमकाने के तल्लीन तारतम्य से तोड़कर
मैंने तुम्हें बुलाया था
अपने निकट से निकटतर बिठाया था
मैं खुद
क्या कुछ खोयी-खोयी
सावधानी से ताजमहल साधे
एक झूलनी कुर्सी पर बैठी थी

सुन रामकली!
तू नहीं जानती, मुझे क्यों इतना प्यारा है
ताजमहल
वैसे भी अनूठा न्यारा है ताजमहल
एक मुगल बादशाह ने इसे
अपनी प्रेमिका के लिए......
यह शब्द उच्चारते रामकली 'जैसी' के सम्मुख
मेरा कलेजा थरथराया था-
वह क्या सोचेगी कि मैं?
अब? इस उमर में?

तू कैसे जानेगी रामकली
कुछ चीज़ें
एकदम अमोल होती है
उनका मान सिर्फ सजावट के लिए नहीं
उनका अदब सिर्फ दिखावे की बात नहीं,
जब कोई किसी को
ऐसा कुछ देता है, तो

कुछ सोचकर ही देता है

इसीलिए, ओ जन्मना! मेरी कृतज्ञ रामकली
अब तू ही इसे सम्भाल
अपने पास रख
मेरे दिये बिना, तो तुम
इस नवेली नायाब वस्तु से अनजानी रह जाती
पाना भी चाहती, तो
किस करतब से पाती?

है न? कहकर मैंने उसकी आँखों में झाँका
उफ़! डूब मर
आँखें ऐसी बुझी हुई
चेहरा पतला, पाँगुर, बन्द

क्यों? क्या बुसे हुए समोसे, और
गले हुए केले
उससे अच्छे थे रामकली, कि
तुम उन्हें
लपक-लपक लेती
खिल-खिल उठती

बोल!
तू बोल तो सही रामकली
तेरी अक्ल को क्या हुआ है?
तुझे कौन से बिच्छू ने डस लिया है?

तू इतनी मूढ़, कि
इन दोनों का अन्तर नहीं जानती?
अच्छे और बुरे का फर्क
नहीं पहचानती

मान लो,
नहीं भी जानती, तो
मैं तुम्हें बता तो रही हूँ
बेजोड़ चीजों से निपटने का सलीका
सिखा तो रही हूँ

अब, तू ऐसे कर
इसे ले जाकर
घर के किसी कोने में
किसी ऊँची चीज़ पर, ऐसे
सजाकर रख, कि
आये-गये की आँख चढ़े
तेरी महिमा बढ़े
फिर देखना रामकली
हर कोई तुम्हें घेरेगा
कोंच-कोंचकर पूछेगा
इसे पाने का पता और स्थान
और....

पता नहीं क्या हुआ रामकली को
अच्छी खासी बैठी थी
जल्दी से लहँगा समेटा, और
भाग खड़ी हुई।

पहाड़ देखते हुए

तुम्हें निर्निमेष निहारती हूँ
कि तुम्हारे उद्गम से मुक्त हुआ झरना
पेड़ों, पठारों, पगडंडियों के बीच से गुज़रता
मेरे भीतर घुस आये
और मुझे भी मुक्त करे
तुम्हारी तरह
मैदानों, तलहटियों, खेतों के बीच
उर्वरता बन बहने को.....

अभिशाप

मेरी खिड़की के सामने
हे पेड़
तुम्हारी भुजाएँ फैली
आह्वानती

इस पार
मेरी बाँहें
चौखट से आगे लहराती तो हैं
तुम तक पहुँच नहीं पातीं

इन दो छोरों के बीच
इतना अपाट अन्तराल
तल में जा गिरने की सम्भावना
लहूलुहान हो जाने के भय की कातरता

यह सब कुछ
क्या तुम्हें भी मालूम है पेड़?
या यह अभिशाप मेरा है
मेरी आदमी होने का!

...और तुम कहते हो

तुम्हारे मोर्चे पर जीवित होगा
ईरान, अफ़गान
वियतनाम का युद्ध
अर्थ-नैतिकता के नये संस्करण पर
हस्ताक्षर करता
तुम्हारा युग

मेरे लिए
अभी भी
सतीत्व की आड़ में
काठियाता हुआ स्त्रीत्व
व्यक्तित्व के नाम पर
झपटी हुई
दफ्तरी स्वतन्त्रता

तड़कते सम्बन्ध दर्पणों में
टुकड़े-टुकड़े
कटता-बँटता
युग-शिशुओं का भविष्य

....और तुम कहते हो
मैं इस शती की अर्द्ध-नियति हूँ!

हर रात

हर रात
एक उद्भ्रांत अँधेरा
मुझे खोलकर रख जाता है

दिन
फिर हाँफता है हर पल
खुल जाने को
सुलझाने में

टूट पड़ता दिन

हर सुबह
टूट पड़ता है दिन

फिर से खुल जाती बुनतर
सिलाई पर पड़े अधबुने फंदे की तरह
छोड़ दिया था जिसे
आगे बुनने के लिए
सहेजकर।

नयी पीढ़ी

तुमने नकारा
मैं सह गया
तुम्हारे आँगन का बिरवा
अभी भी
जड़ों से चलकर आता
लहलहाता
दीखता है

प्रजा-राजा

जल धो देता है
दूध नहीं धोता

तरलता धो देती है
धवलता नहीं धोती

पारदर्शिता धोती है
प्रगाढ़ता नहीं धोती

जल त्याग सकता है
दूध नहीं त्यागता

जल निश्छल है
दूध गरिमा संचित

जल प्रवाही
दूध ग्राही

जल प्रजा है
दूध राजा

जल लोक है
दूध परलोक

दूध में जल निहित है
जल में दूध कहीं नहीं।

पानी की गाँठ

पानी की गाँठ
छाती के बीचोबीच
बरसों से

उमठता है कोई
साँस
पूरी रात
रस्सी की तरह

लय को
मिला था आकाश
क्यों टिक गयी
चारदिवारी में
देखो हरापन
रहा हार
तपझड़ के प्रेम पर!

कहाँ से शुरू करूँ

मैं अपने आप को कहाँ से शुरू करूँ
मेरा कुछ
मेरे जन्म-पूर्व
मेरी माँ ने
संस्कार को
गिरवी दिया

मेरा कुछ
मेरे समाज ने
लगान में टीप लिया

तचे यथार्थ की दाह में
बाकी का कुछ
मुझसे
आप ही झेला न गया

मैं अपने आप को कहाँ से शुरु करूँ...

सदा-सदा का अभीष्ट

सोच लेना
वह स्त्री है
तुम्हें बिता बिता भर लिखेगी
दर्पण दिखाकर
आहत नहीं करेगी

प्रश्नाहत होना
तुम्हें गुस्से में बदलता है
अन्तर्यात्रा पर नहीं ले चलता
जो सदा-सदा का
अभीष्ट है!

क्या पता दीख ही जाये

मैं नहीं थी इतिहासकार
कह सकती कि कैसे
खुले मैदान को घेरने लगी
धातु की कँटीली बाड़

रातों-रात उठ आयी
लापरवाह पड़ी मस्जिद की दीवार
किसने बाँट दिया संकरी सड़क को
इतनी जल्दी बीचोंबीच?
इतार दी गयी दीवारों को ढकती
झबरीली बेल
चढ़ा दिये गये लैंपपोस्टों पर
ज्योति के चौकस फूल
बँटवारावादियों का ज़माना
आ जाने की अचानक
सुन पड़ी गुहार,

कॉलोनी के सिरे पर जड़ दिया गया
एक अदद फाटक
दो सीमेन्ट के स्तम्भ
खड़खड़ाती जंजीर
क्या पता इस तरह

दीख ही जाये
जो कभी आकर भी
आता नहीं दीखता,

मैदान विस्फारित था

बच्चे मारे गये मैदानों में
गोलियों की बौछार से चाक हुई छातियाँ
घुट गये टेंदुए
रक्त सीजी धरा

मैदान विस्फारित था
अब
किस रास्ते से आ पायेगा भविष्य
लोथों के जंगल लाँघकर

घर

पहले तो वह एक सपना था
ईंटों से घिरने का
खिड़की-दरवाज़े जड़ने का
लिप्त-तृप्त अपने आप का

ईंट फिर जड़ी गयीं
दरवाज़े गाड़े गये
पर घिरा नहीं सपना
चारदीवारी में
वह जरूर कुछ और होगा
जो होता होगा घर।

दर्द की तरह

उदात्त जान
दर्द को नहीं जिया:
दर्द तो दर्द की तरह ही
पिया गया

यह बात और है,
कुछ पा गये अनजाने
विष मथे अमृत के बहाने, कि
अपंग आस्था झेल ली गयी
मरण की राह पर
दम तोड़ती
जिजीविषा
टेर ली गयी
कुछ गहन
बोधों के नाम पर!

असमंजस

बदहवास समय की रफ़्तार
अब तक खामोश
पिछवाड़े खड़ों का असमंजस
कि उन्हें कौन से सच में शामिल होना है

ऊँची दीवारों के बीच
चूल्हों के गिर्द पिसते फुँकते
उनका समय तो पिघला था
उनके हाड़-मांस में,
रक्त प्रवाह में
इबारतें
किस सफ़ाई से बचकर निकल गयी थीं
उनकी दरज-दारी में

अब कौन-सा इतिहास?
किसका इतिहास?
वह जो समय की देह को दागता
छोड़ रहा अपने खुरों के निशान
या
चुनौतियों की भाषा में जो
उगल रहा अपना अधपचा आख्यान
गाया जा रहा
गाया जाता रहेगा
उनके जाने के भी बाद

असमंजस
कि उन्हें कौन से सच में शामिल होना है!

तुमने क्यों पूछा

तुमने क्यों पूछा, कि
मैं जो बुद्धिजीवी हूँ
मैं
जो घायल होता हूँ
उड़ती चिड़िया के पंख के आहत होने से
रोता हूँ बेहिसाब
चीजों के अपदस्थ भर होने से
मुझे
जो काँपती दीखती हैं निष्प्राण दीवारें
घोटती छतें
आतुर लगते पत्ते

क्यों सो जाता हूँ बार-बार
चेतन चटक अंगारों पर पड़ जाती है राख
हत्याकांड, हड़तालें और द्रोह
संकट के नगाड़ों का शोर
लोकतंत्र में लोकमंत्र को फाँसी
देश के धन को
बोटियों की तरह चूसती नौकरशाही
वंचितों की आह
आपदकाल की खड़तालें
घटनाओं के व्यूह
समय की टंकार

किसलिए मेरे कानों पर मद्धम होकर पड़ती है
क्यों मैं बार-बार
फुटपाथ पर खड़ा दीखता हूँ
काफ़िलों को गुजरते हुए निहारता

बार-बार
हर बार
हर अकस्मात्
खुल पड़ती है संज्ञा की सीवनें
ऐंठती अन्तड़ियाँ
रोयाँ -रोयाँ
रेशा-रेशा
बिधुर जाता सब कुछ
हत्या फिर महज घटना नहीं रहती
चीखों-चीत्कारों के बीच
इतिहास का भूतहा दैत्य
जागकर खड़ा हो जाता है मेरे सामने

तब
घटती हुई घात
और बीते इतिहास के बीच
एक अन्तहीन सिलसिले का आवेश
मेरे भीतर तमतमाने लगता है
जो ख़ून बहाने का कारण ही नहीं
ख़ून बहाने की जरूरत
और ख़ून बहाने की नैतिकता के लिए भी
मुझे कोंचता है

हत्या तब मेरे लिए
मात्र एक हत्या नहीं रहती

इतिहास के अथाह में इतनी गठरियों के साथ डूबने
और
तुम्हारे सवालों की ख़ातिर बच निकलने का
आपद-स्नान रह जाता है

और तुम!
मोतियों के इन्तज़ार में
किनारों पर सुरक्षित खड़े
मुझसे
जवाबी क्रोध की नहीं
भड़का देने वाले
लूट लेने वाले क्रोध की नहीं
निरीह लपटों वाले
तेजस्वी क्रोध की माँग कर रहे होते हो
जो फूँक कर भी न फूँके
जिसमें ताप तो हो पर विवेक भी उतना ही
जो उतना भर फूँके
जितने को तुम फूँकना चाहते हो
शेष मेरे भीतर बचा रहे
अमृत-सा
तुम्हारा अन्तिम बनकर

मेरा 'अंतिम'
बेशक वह हो या न हो
मेरे सामने बिछी सड़कें तो सदा असमाप्त
मेरे सामने चलते काफिले, सदा बदहवास
मेरे सामने बिछे प्रश्न, सदा अन्तहीन
मेरे सामने सदा 'अमृत' और 'विष'
'मूल्य' और 'कीमत' के बीच भेद के शाश्वत सवाल
इसीलिए–
इसीलिए आज मैं बंद

गुपचुप खड़ा देख रहा
चौराहे पर नरसंहार
तेल के पीपे हाथ में लिए
निरीह नरता के पीछे दौड़ता पिशाच
कर्फ्यू वीरान सड़कों पर चीत्कारों की आँधियाँ
मैं कल्पना कर सकता हूँ
उस आग की
उस दहाड़ की
जो पहले तो भीतर भड़की होगी
फिर उसने थामा होगा हाथ में पीपा
छोटी-सी माचिस में बन्द
बारूदी मुख वाली हत्यारी तीलियों द्वारा
प्रलय को शतकाय निमन्त्रण
कितना काँपा होगा आकाश
थरथरायी मनुष्यता
अँधेरे की चंगुल में कितना छटपटाई होगी उजास

यह सब
हाँ! यही सब
मैं भी देखता हूँ जितना तुम देखते हो
तुमसे ज्यादा देख सकता हूँ
तुम्हीं ने सुझाया था
तुम्हीं ने शरीर और प्रज्ञा में भेद किया था
स्थूल और सूक्ष्म को अलगाया था
यथार्थ और आदर्श का वास्ता दिया था
चिन्तन और जीवन के भेद की बात की थी
तुमने कहा था–
यह दोनों एक से नियमों से नहीं चल सकते
एक तापसी है तो दूसरा संसारी

तुमने कहा था–
ऐसा हमेशा नहीं हो सकता कि
संतुलन साधने के लिए
हँसता-खेलता जीवन, हर घड़ी
तलवार की धार पर कातर बना रहे
ऐसा नहीं हो सकता कि जिन्दगी
हर घड़ी
सोचने की भाषा में कही जाए
ऐसा–
कुछ लोगों के बारे में तो हो सकता है
सारे देश
सारे जन के बारे में नहीं हो सकता कि
वे दरकिनार कर दें जीना
विवेक नाम के किसी अबूझ की खातिर
शांति
नीति
नैतिकता के सत्व के लिए
स्थगित होता रहे
सबका जीना

तुमने कहा था, इसलिए
ओ मेरे सरस्वती पुत्र!
तुम्हें छानना होगा
फटकारना होगा
नितारना होगा
तुम छानो, फटकारो, नितारो और
पलटकर जवाब दो कि
इस घटिया या बढ़िया
सतही या सघन
हादसों विपदाओं क्रूरताओं से लदफद जीवन में
नीति और आचरण की

अक्ल और विवेक की
शांति और संगठन की आदमक़द शक्ल
क्या हो सकती है?
क्या हो सकता है अमानुषी चट्टान के तले दबी
रूद्ध चीखों का प्रत्युत्तर?
क्या हो सकता है अंगरक्षक के द्वारा खींच ली गयी
जीवन की जिह्वा का कारण
क्या हो सकता है जब अर्द्धांग तनकर खड़ा
हो जाता है अपने सामने?
क्या हो सकता है जब हरित धरती
दलदल की तरह बुदबुदाने लगती है?
धुआँ-धुआँ हो जाता है नीला आकाश
चीख-चीख हो जाती हैं दिशाएँ
घटना-घटना हो जाता हैं देश
पिशाच का स्वप्न हो जाती है रात
अफवाह की उड़ान हो जाता है दिन
अनुशासन को पाने के लिए एक धर्मनिरपेक्ष देश
कर्फ्यू के कंधों पर
कातर पक्षी की तरह आन बैठता है
और देश की बागडोर
काँपते अशीषते
एक सुदर्शन मुख वाले कच्चे नेता के हाथ
सौंप दी जाती है

हाँ, जानती हूँ
तुम पूछ रहे हो कारण
पर अभी तो–
अभी तक जो गयी थी मेरी साँस
पलट कर नहीं आयी
कपड़ों पर ताज़ातर लहू के अमिट धब्बे
अभी तक झकझोर रहे इस भूचाल के निर्मम धक्के

मेरे भीतर खुल चुकीं कितनी उद्दाम सदियाँ
कानों पर अभी तक चिपकी हथेलियाँ
आँखों में जमी धू-धू चौखटें
मैं कोई अख़बार तो नहीं कि तुम्हारी ओर
इस तरह उन्मुख होऊँ
वह तुम्हें छल सकता है, क्योंकि
तुम्हारी हड़बड़ायी जिज्ञासा को चाहिए
तुरन्त एक उत्तर
एक बस
वही तो है, जो तुम्हें
मिल सकता है हर पल तत्पर
उसे तो रोज़
हर नये रोज़
हर चारदीवारी में घुसना होता है
उसके लिए रोज़
एक टकटकी भरा सबेरा जन्म लेता है
वह घटना की घात की तरह
झूठ को स्वाद की तरह
प्रपंच को नीति की तरह इस्तेमाल कर सकता है
काले अक्षरों के द्वारा
वह सोचता है
घूम सकता है इतिहास का चक्र
आभासित होती है उसे गति, और
गति सारे संसार को छू लेने का पर्याय बनी दीखती है
ठिठकने, देखने, सोचने की जरूरत का
वहाँ कोई बनाव नहीं बनता
बातें बहती हैं
निशान नहीं बनातीं

पर यह सब तो नहीं था
जो तुमने मुझसे चाहा था

अपनी प्रतीक्षा के जवाब में
हर सुबह फड़फड़ाता हुआ एक खर्रा
चाहा होता तो सुबह की टकटकी
शाम तक
रद्दी की टोकरियों में जाकर न फिंकती
इतने ब्योरों के बाद भी
तुम अगर
सुख की नींद सो सकते हो
तो कहीं कुछ गलत है
वह अख़बार में है या तुम्हारे भीतर
और इतिहास जानता है
कि तुम्हारे अखबार गलत हैं
तभी तो साँझ तक उनका पुलिन्दा
बना दिया जाता है
और तुम वहीं के वहीं बैठे मिलते हो
किसी गहरे जवाब की प्रतीक्षा में घायल
जहाँ सब कुछ तुम्हारे प्रतिकूल जाता भी हो
तो भी
तुम्हारे मन में धीरज है उस सच को जानने का
उस उद्गम को छू पाने का
जहाँ चीजें ठीक से अधिक गलत होती हैं
जहाँ न्याय और अन्याय के बीच का पाट
तो दीख भी जाता है
पर न्याय और कम न्याय के बीच की दूरी
प्रश्नाभिमुख खड़ी मिलती है

हाँ, मैं जानता हूँ
जानता हूँ कि मुझे देना है उत्तर
जानता हूँ कि तुम्हें है प्रतीक्षा
जानता हूँ तुममें धीरज तो है पर
एक हद से आगे वह एक ढेला बन जाता है

जिसमें बैठी आघात की हिंसा
फिर तुम्हारे वश में नहीं रहती
अँधेरा जब तुम्हें घोंटने लगता है भीतर-ही-भीतर

काट कर फेंक देना चाहते हो तुम उसे बाहर
मैं उस
अपाट अँधेरे को काटना तो चाहता हूँ
पर देखता हूँ
अपने ही कंधों के नीचे
बैल के गले में लटके लक्कड़-सी निष्प्राण बाँहें
कोलतार-सा वजन
अपने भीतर बुदबुदाता मिलता है

तुम सुखी तो हो
तुम्हारे पास चीखने के लिए आवाज
और बल
और इच्छा तो है
मेरे भीतर एक आक्रांत अँधेरा
जिह्वा के ख़ून की टप्-टप् के बीच
लिसलिसाता मिलता है
मैं पूछता हूँ-
तुमने क्यों कहा था
कि तुम ज्यादा देखो
ज्यादा सुनो
जानते हुए कि
ज्यादा देखने और सुनने की कीमत
गूँगा हो जाने की हद को छू सकती है

तब फिर
तुम्हारे प्रश्नों को हो सकती है देरी
लपलपाती रह सकती है पपड़ियों के तले त्वचा

मेरा दर्द भी
हर इंसानी दर्द की तरह दलपरस्त हो सकता है
समय लग सकता है
अपने दाय तक आने के लिए
तुम्हीं ने तो कहा था
मुझे क्रोध की छूट तो है, पर
क्रोध के अविवेक का हक़ वर्जित
दृश्य के बीच की नहीं
दाय की भूमिका वांछित
तुम्हीं ने तो तुलना की थी
पुल के खम्भों से
जिसके नीचे गीला, गर्त भरा, उच्छिष्ट भरा
तोड़-फोड़ में व्यस्त बहाव बहता है
फिर भी खड़ा रह जाता है कितना कुछ अविचल
खम्भे
खम्भों के आधार
तरलता
आवेगित ऊर्जा
बहने और बने रहने का बल

मैं ही क्यों
तुम भी तो जानते हो
जब स्वच्छ हो जाये आकाश
तो आँधी के आक्रोश का हिसाब नापा जाता है
और चुनी जाती है
आने वाली सदियों के लिए बचाव की नीति
खोजे जाते हैं सम्बल
आज की घटना को कल के सेतु तक
ले जाना पड़ता है
टाँग नहीं सकता कोई इस तरह
दुर्घटनाओं की अरगनियों पर अपने मसले

खुले इम्तहान के लिए उन्हें
पूरी चौंध के नीचे ले जाना पड़ता है
उसके बाद भी
फ़रक करना पड़ता है घटना और
दुर्घटना के बयान में
भड़काने और सहलाने की भाषा में
फ़रक करना पड़ता है शुभ और अशुभ के सम्प्रेषण में
देश और धर्म और कर्म के क्रमशः
मौलिक स्थान में

इसीलिए मैं
प्रतीक्षा में रत
ऐसी बेसब्र घड़ी, अपने को उन्मुख
इस घायल वर्तमान और काले सायों की घुटन
से मुक्ति माँग रहा
पैरों की पहुँच के आगे वाले पड़ाव की प्रभुता जाँच रहा

कौन-सा सारस्वत स्थल होगा
जहाँ मनुष्यता चलती दीखेगी मनुष्य से आगे
और मुझे लगेगा
मैं मनुष्य के अस्तित्व तक नहीं
उसकी प्रतिष्ठा को स्पर्श कर पाने के लिए
अपने हाथ बढ़ा पा रहा हूँ!

कैदी की पत्नी

कैदी की पत्नी
जेल के दरवाज़े पर खड़ी है
उसे अन्दर जाना है
इतने दिन पहले भेजी गयी
अर्जी का जवाब

'वह' कहाँ है
कैसा है
कुछ पता तो लगे कि उसके 'उनको'
मृत्युदण्ड है
या आजन्म कारावास!

पता तो लगे कि किस तरह
उसके 'उन' पर किया जाता रहा अत्याचार
कूल्हे तोड़े गये या पीठ
सिर तो सलामत है
पर बाकी का शरीर?

सीखचों के उस पार खड़ी वह
इस वक़्त
होना चाहती है
उस शरीर की दावेदार
वही उसके लिए पवित्रतम्

पूरे जीवन का सारांश
उसके अंडकोषों को शुक्राणुओं की दरकार
उसे उठाना नहीं है सड़क से
अपने वंश का आधार
जानती है
सीखचों के पीछे वाले मन में वह
अभी तक आसीन
यह जानती है निषेधाज्ञा
पर माँगती है आज्ञा
माँगती है संचित वीर्य की एक बूँद
माँगती है निरन्तरता
जिसकी वह अधिकारिणी है
अपराधों के बावजूद

अपराध जिसने किया है
दण्ड जिसे मिला है
वह केवल 'वह' ही तो नहीं
दण्डित शरीर के भीतर कहीं
बहुत-सा कुछ
उसके हृदय के बीच

वह जागेगा
अकुलायेगा
जब पत्नी को देखेगा
ताप-भरा-आतुर अधीर
खड़ी है क़ैदी की पत्नी
कोतवाली के दरवाज़े के बीच

वह जानती है निषेधाज्ञा
पर माँगती है आज्ञा
जाना चाहती है दण्ड और देह के पार

उसका अधिकार
उन सबों का आभार
खड़ी है कैदी की पत्नी
जेल के दरवाज़े पर!

प्रवास से पुकार

फोन पर सवार
उधर से आती हुई आवाज़
बुझी हुई थी

न पुचकार पहुँच सकती थी
न फासले गल सकते थे
न आकाश सिमट सकता था
न अँधेरों का दूत दयालु था
न भूगोल पक्ष में था
न छड़ी ऐसी कोई
हाथ में थी
कि अलाव उजालने जाते

महानगर-2

ओह! यह तो वही नगर है
वही सरहद
जहाँ अटका है प्रश्नाहत समय
जहाँ एक ही वृत्त में
घूमती है घिर्री
और चढ़ते वर्तुलों की देह पर
नाचती उन्मादी गति

यहाँ कब
कहाँ
ठहरेगी अभीप्सा
जो
अपने होने के आभार के बावजूद
होना चाहती रही
आगे और पीछे के बिना
पूर्णाचारी
विमुक्त

मरणासन्न बहिन से

(एक)

तुम देती हो आवाज़
लगातार
जैसे भुरभुराती हुई चीख
तीन चौथाई लम्बाई को लाँघ चुका समय
रेंग रहा
इस तरह
तुम्हारे समीप

तुम दिखाती हो दृश्य
इस तरह
आखिरी छलाँग से पहले
ठिठक-ठिटक जाने की
चाहत के दर्द का

(दो)

आहट आती गयी पास
हम थे कहाँ तैयार
किसी अगवानी के
हड़बड़ाये

हड़बड़ाना

क्या होश की इन्तहाँ की
अलामत नहीं है?

(तीन)

प्यार में किरकिरी
तो थी ही थी
होनी ही थी

प्यार के कंधों पर,
फिर पूर्णतर-
पूर्णतम की कैसी लदान
ढाई आखर की कैसी
लहलह परिभाषा

(चार)

कविता में होती हूँ
बस तभी
कौंधता है स्मृति का उर्वर
गिरता है कहीं से
कुछ
झलझले महीन जाले में कैद
कँपकँपाहट सिहरती है

दृष्टि देखती है
आँख फिर नहीं देखती

एक म्यान में

चढ़ती-बनती अट्टालिका
क्या मज़ाल कि ऐन सामने खड़ा रहे
दशकों, नहीं! नहीं!
सदियों पुराना लहलहाता पेड़

'लेते आना कुल्हाड़ियों वाले मजूर कल'
उन्होंने चौकस चतुर बेटे से कहा–

बेटा महा आज्ञाकारी
सुबह से तेज़-तड़ाक धम्म-धड़ाक
पेड़ घायल हुआ

पेड़ कितना बेशर्म
ख़ून का नाम-निशान तक नहीं
झड़वाता रहा हरा लिबास
कटवाता रहा बाँहें
नंग-मलंग
खड़ा है बेहया
ठूँठ का ठूँठ

देह के बीच से निकला जो रंग
वह भी सफेद
ख़ून तक सफेद हो गया है साले का

अट्टालिका को नाज़ था
चढ़ती गयी, बढ़ती गयी
ठूँठ-ठूँठ-सा अधबीच खड़ा रहा
गाँठों जैसी आँखें उघाड़े पेड़

पड़ोसी हितैषी थे
पता नहीं पेड़ के
या कि पड़ोसी के
या कि अट्टालिका से द्वेष था
पुलिस बुला लाये
एन.डी.एम.सी.भी
सब आये साज़-सामान, कैमरों समेत
गली में पसरते गये

एन.डी.एम.सी. क्या?
अंग्रेजी में चालू इस शब्द
का अनुवाद, क्या होगा हिन्दी में
ऐसा मुँह चढ़ गया है निगोड़ा
जीभ पर ताश की तरह
वही-वही पत्ते फैंट रहा

छोड़ो-छोड़ो यार
अंग्रेजी हिन्दी के लफड़े फिलहाल
करो झोले के हवाले
लाखों-लाख बिकते अख़बार भी तो नक्काल
अरे बचपन में नक़ल नहीं की तो क्या
सयाने होकर तो कर ही सकते हैं
कौन देखता-सुनता है सयानों की बात

एन.डी.एम.सी. ने और पुलिस बुलवायी
पेड़ की कटी हुई पसलियों के
फोटू खींचे
साक्षी हुए मोहल्लेदार
गट्ठ के गट्ठ जमा वहाँ

अट्टालिका का स्वामी गिड़गिड़ाया
स्वामी नहीं, स्वामिनी
वह रही खूब-खूब तजुर्बेकार
यह जमीन उसकी नहीं तो
उसके प्रेमी की तो थी
नामुराद, बेवफा मर गया अधबीच
वसीयत लिखाये बिना
कुछ तो सोचना बनता था

प्रेमी के परिवार की ऐसी-तैसी हुई
कब्ज़े के दाँत इतने नोकीले हुए
किन रास्तों पर चलकर
कब्जा लिया होगा स्वामिनी ने
वही जाने
अँधेरा जाने

अट्टालिका चढ़ने लगी
छाती पर हाथ मारते, ताकते
नफ़ीस शरीफ़ मोहल्ले
नहीं-नहीं पॉश कॉलोनी के मोहल्लेदार
अंगारा हुए

कर क्या लोगे तुम सब? स्वामिनी उवाच!
देखते नहीं सब कुछ सप्रमाण
ठीक-ठाक

चाक-चौबंद
साफ-सपाट

एन.डी.एम.सी. के कर्मचारी ने
सरकार की ख़ेरख़्वाही में
पुलिस की जेब में हाथ डाले
पुलिस ने स्वामिनी की जेब
नहीं, नहीं सॉरी! जेब थी कहाँ वहाँ
सो अड़चनें आयीं सो आयीं
चिकनी चुपड़ी रिपोर्ट
सज-धज कर आयी
पेड़ बना रहे, पर्यावरण का सवाल
नीवों की हिफ़ाजत रहे बरकरार
भावी भाड़ेदारों की सुरक्षा
पुलसिया कर्म, और
नागरिक धर्म नहीं तो क्या है?

यह तो बदज़ात पेड़ है
जो जड़ों के रास्ते
ज़मीन पर
दूर-दूर तक
अवैध पैर फैला रहा

ठूँठ खड़ा रहा मुस्कराता
वह तो किसी दिन फिर से पेड़ बन जायेगा
कट गया सिर तो क्या
गात तो बाक़ी है
ठूँठ कितने जिद्दी होते हैं
महा लेखक हृदयेश की कहानी 'ठूँठ' ने
पहले से
सिद्ध नहीं कर रखा क्या?

ठूँठ ठूँठ-सा दिखे तो दिखे
पर असलियत में तो पेड़ है
वह अपनी जड़ों तक से पेड़
हरियाली के बिना भी पेड़
अंदर से सफेद
तब भी पेड़
कर्ण-सा दाता पेड़
यहाँ खड़ा-खड़ा कुछ लेगा नहीं
देगा ही देगा
देता रहेगा

क्या कहा?
किसने कहा?
यह कमीना पेड़?
पहले तो बेजान
तिस पर बेजुबान
पर ऐसी हत्यारी हेकड़ी

सुनना हो सुनो
न भी सुनो
पेड़ देवता तो सदा का भाग्यवान्
फटाफट हरियायेगा
हवा से मिलकर बतियायेगा
खिलखिल तालियाँ बजायेगा

खिल्ली उड़ायेगा
अट्टालिका की!

घरों से कहा था

घरों से कहा था–
छीजो छितरो मत

तुम्हें दे चुके हैं पक्की दीवारें
चिकने चौतरे
काठ के दरवाज़े
बालू के मिश्रण को दाब चुके हैं
नीवों तक नीचे

कह चुके हैं
बिखरो मत
आँगन में खेलते हैं बच्चे
बैठती गौरेया
टकटकी में बैठता तुलसी का बिरवा

घरों में
लोरियाँ देकर सुलायी जाती है रात
जागता है अँखुये-सा दिन
घरों में सब के सब
होते हैं एक घर

घरों में गहनों के लिए
पिघल पड़ता–

पीला पथराया सोना
घरों में होता है
बहिनों की, बेटियों की
इच्छाओं को लौटना

घरों में होती है बैठी
एक स्त्री
जिसके चेहरे पर चिरन्तन की हँसी
जिसके होठों में अनजाने
खिल-खिल पड़ते
अनार के दाने
उन दुधमुँहों को दुलराने
जो अभी जन्में भी नहीं थे।

शब्दों में पत्थर

काग़ज़ों में बन्द शब्द आये थे
आये नहीं थे
फेंके गये थे
फेंकापन जागकर पत्थरों में बदल गया था

पत्थर शरमाये थे, जबकि
पत्थरों में पानी नहीं था
उनमें सोना सोया था, सदियों से
गिरते थे जहाँ-तहाँ
जगह-कुजगह

फेंकापन फिंक जो चुका पत्थरों का
एक बार
पलट नहीं पायेंगे कभी
शब्दों में
निहित नम्यता की तरह!

नाम

मान लो
अगर देखा न होता पुल
पुल के नीचे का जल
जल की गोद में कंकड़, रेत
अगर देखे न होते तट
पृथ्वी और पानी की घुलमिल

मान लो
अगर नदी की तरह
देखी-जानी न होती नदी
तब हम इसे नदी न कहते।

कैसे

ठेठ निजता के गहन में से उठता
कागज़ पर गिरते ही
कैसे अनिजी हो जाता है शब्द
हर किसी को
पुकार लेने को आतुर, तत्पर

कैसे खुल पड़ती है कड़ियल गाँठ
अगरुधूम्र की तरह लपकती
फलाँगती
छूने को तैयार हरेकपन

इतना हलका तो नहीं था दर्द
कि पँख पा ले!

एक द्वन्द्व है

एक द्वन्द्व है, जो
मेरे होने और
होना चाहने के बीच
तना रहता है

एक आवेष्ठन
जो मेरे ही भीतर
मुझे रचता और
मेरा बहिष्कार भी
करता है

एक निर्वेद अँधेरा
जिसमें कुछ
जन्मता भी है पर
जीवित नहीं रहता

एक अधीर खींच
मुझे समेटते हुए भी
पलटती चली जाती है

क्या कहीं कुछ ऐसा भी है
जो वृत्त की एक लकीर को
दूसरी लकीर पर

एक घेरे को दूसरे पर
भीतर को बाहर पर

मेरे होने को
होना चाहने पर
रख दे पूरे को पूरा
निर्द्वन्द्व

बचे चाहे कुछ भी
अखण्ड अँधेरा
या अटूट उजाला!

आत्मकथा

परिजन नहीं चाहते
खोल दिये जायें सच

हितैषी नहीं चाहते
उघड़े आवरण

पुरखे नहीं चाहते
इतिहास की नीवें उछाल दें
उनकी हड्डियों का चूरा

मित्र नहीं चाहते
खो दें मित्रता

अमित्र नहीं चाहते
अतिरिक्त

स्त्रियाँ नहीं चाहतीं
वे अपमानित हों

लड़कियाँ नहीं चाहतीं
खुल जाये अँधेरे की घात

बच्चे नहीं चाहते
मुड़कर देखें

गीत नहीं चाहते
बेसुरापन

कला नहीं चाहती
उघड़े भदेसपन
नदी नहीं चाहती
तलछट

दिशायें नहीं चाहतीं
विचलित हों

आकाश नहीं चाहता
खण्ड

आने वाला कल
क्यों चाहेगा
बीता हुआ कल!

मुक्ति मेरी हो

(एक)

यह सच है
पार कर लोगी एक दिन
वह सीमान्त
रमणी की केंचुल पड़ी रह जायेगी इस तरफ
तुम्हारे साथ जायेगा
कंधे भिड़ाने की आक्रामक मुद्रा में
दो हाथ करता हुआ
तुम्हारा स्त्रीजन्य पौरुष
तुम्हारे आज के तेवर का
मिलेगा तो सही जवाब
किसी-न-किसी दिन आखिर

मुक्ति संघर्ष तुम्हारा
तुम्हारे लिए तो निश्चय ही
पूजा की मानिन्द
द्रोही में भी नहीं इसका
सचमुच
पर मेरे भीतर
जब तक जीवित
एक पुरुष आदिम
झेलना पड़ेगा तुम्हें

उसे
अपनी स्त्रैण भू पर
मुक्ति सम्भव कहाँ तुम्हें
मेरा अतिरिक्त न चुके जब तक
तुम्हारे संघर्ष के लिए
मेरा आशीर्वचन अन्तिम–
मुक्ति मेरी हो।
मुक्ति हुई कभी मुझे-पुरुष पाश से
आदि शाप से
तो तुम्हें भी दूँगा
उस सीमांत तक तुम्हें
अपने हाथों
पहुँचा तक दूँगा

अभी तो
देखना चाहता हूँ
तुम्हें टुक जी भर
अस्ताचल आभा अंकित ललाट पर
जिस तेजस् आलोक
और वत्सल विवेक की खातिर
माँ के,
तुम्हारे,
स्त्री की आदि धरा पर
अवश
अपलक
खड़ा रहा अब तक
खड़ा मिलूँगा वहीं निर्निमेष तब तक
प्रत्यंचा पूरी नहीं तनती
तुम्हारे तेवर की जब तक

हरी-भरी जमात में
पीतपर्णी पेड़
पतझड़ की-प्रीत में
पात-पात
रोता हुआ

(दो)

एक
तुम्हारे भीतर होने से
सब कुछ रह जाता बाहर

(तीन)

तुम्हारे साथ
मात्र दो पग
जन्म-जन्मांतरों की यात्रा
कैसे होगा
पलट कर
अपनी क्षुद्रता में आ पाना

(चार)

काँपती रही शिखा
आलोक के
आतंक से

(पाँच)

चीर गयी
सूने आकाश को
मन पाँखी की चीख

(छह)

पैर नहीं
पहुँचती बस आँख
क्षितिज तक

मारा जायेगा प्रधानमन्त्री

लोटो के जूतों को क्या पता था
मारा जायेगा
प्रधानमन्त्री
उड़ जायेगा सर

क्या पता था
गुदगुदे तले
सर का सुराग पाने के
काम आयेंगे

क्या पता था
आकाश
उड़ते देखेगा परखच्चे
धुएँ के बादल
लोथों के टुकड़े

चीत्कार
चल पड़ेगी वहाँ
जहाँ पहले से पहुँच चुकी है
एक माँ की टेर
इतिहास की जिल्द फाड़कर
लद कर आयेगी वहाँ
जहाँ रूँधती पत्नी

बनेरों से लगे भोचक बच्चे
प्रतीक्षते
पिता के टुकड़ों की गठरी

अब जय -जयकार
महाप्रयाण
जूते
गठरी
नेता का धड़

दृश्य लिखा जा रहा

दृश्य लिखा जा रहा
सामने की मुंडेर पर चौकन्ने दो लड़के
एक खिड़की पर लदी दूसरी खिड़की
बालकनी का बन्द दरवाज़ा
टेढ़ी लटकी चिक
ढलुवाँ खपरैल
टूटी कुर्सी
तीन पाये की टेबल
पेड़ों की फुनगी पर जाने को तैयार खड़ा सूरज
दिखती उतनी सी
दो मंजिलें मकान की अधबनी छत
बगीची धार पर आसक्त
सूखे का सहम लौटाते चार ढिठोरे पौधे
रस्सी पर फड़फड़ अकुलाते सूखे कपड़े
हवा में काँपते डुबकियाँ लगाते अनेक पक्षी
दूर कहीं बँधे घुटे छोटे बड़े शोर
गली के नाके पर कितनी देर से कोई खड़ा अडोल

दृश्य एक है
पर दृश्य के बीच गुझी कितनी दूरियाँ
कितनी अलग-अलग सतह
कितने अन्तराल
चेतन अचेतन एकताल
इतनी गड्डमड्ड में हर कहीं
कैसे ठुँसा बैठा इठलाता आकाश!

मृत्यु पर परिवार

वे सब बहुत रोये
धुलती गयी
याद की क्यारी से
खाद सारी

उम्मीद

रविवार
एक उम्मीद
वक़्त के थैले में
बदहवास हो चुकी चीज़ों को
मेरा हाथ सम्भालेगा
समेटेगा

तनाव

भिंचती मुट्ठियों के बाहर
रिसता जा रहा
जीने का आस्वाद
तनाव!

आतंक-2

(एक)

देखो देखो–
काँप रही शिखा
आलोक के आतंक से

(दो)

दमक उठा मोती
आँख में सहसा
क्या पानी
चट्टानों के इतना करीब था

(तीन)

बच नहीं सकता था
मक्खन को पाने के लिए
मटकी और मथानी के बीच
चक्राहत होना

(चार)

उन्होंने डालें तोड़ीं
और छीलकर
छड़ियाँ बना डालीं

कोई तो कारण था

कोई तो कारण था
बँध जाने दिया था
अपने को
तुम्हारी मुट्ठियों में

कोई तो कारण है
खुल गयी हूँ
नीले आकाश
विपुल अथाह के बीच
पूरी
पूरी तरह निर्द्वन्द्व!

पहाड़

आकाश में
उठान के
दुआ के लिए
उठे हुए हाथ

कहाँ मिला

(एक)

कुछ था
जो तुम मुझमें ढूँढ रहे थे
और वह वहाँ नहीं था
खुद तुम में था

कुछ था
जो मैं तुममें ढूँढ़ रही थी
और वह सब भी
मेरे ही भीतर कहीं था
मेरे अतलांतों के भी तले

तुम्हें छेड़ रही थी मैं
अपने को पाने के लिए
शायद तुम भी

दो खोजें
टकराकर विच्छिन्न हो गयीं
एक ही बिन्दु पर

तुम्हारा अपना आप
तुम्हें भी कहाँ मिल सका
मुझे भी तो नहीं
मुझे तो बस

अपनी अस्ति में घुली मिली
तुम्हारे रक्त के रंग की लाली
तुम्हारा मन भी क्योंकर
रहा होगा इस रसायन से खाली

(दो)

जब मुझे
कहीं और जाने की
तलब ही नहीं
फिर मैं
क्यों यहाँ ध्यानस्थ नहीं!

(तीन)

यहीं कहीं
आसपास तैरते रहे शब्द
कविता की लय को, पर
लावारिस लगते रहे
कहने का ढब
भीतर कहीं
गुमसुम पड़ा रहा

(चार)

देखा किये
इसी तरह
हर किसी का न होना
कैसे चहकाता रहा फिर
अपना
होने में होना

दीया

मिट्टी की देह में
थरथराते आलोक का आवास
मरना और जीना
कितना पास-पास

सरहदों पर

सरहदों पर
ढेरों घर हैं
सिर्फ बच्चे हैं
सिर्फ स्त्रियाँ हैं

सिर्फ प्रतीक्षा है
आगत की

तम्बू

खुला मैदान
तम्बू तना है
बच्चे हैं अनाथ
बहुत से

पूछते–
हाथ यह हमारे, ऐ तम्बू
तुम तक पहुँच क्यों नहीं पाते?
क्यों जीभ की लम्बाई तुम्हें चाट नहीं पाती?
कोट सिल नहीं पाता कभी तुम्हारी विराटता का
धूप आ भी गयी तो तिरछी इतराती आती

हमारे रोने की आवाज़
उदार होकर
तुमने भेजी तो थी चारों दिशाओं
क्यों किसी घर का द्वार नहीं खटखटाती
क्यों बन्द हो जाते हैं
घरों के दरवाज़े इतनी जल्दी
तुम्हारे फड़फड़ाने की पुकार भी वहाँ तक
क्यों नहीं पहुँच पाती?

पूछो तो सही

देखते ही देखते
सामने बिछी बालू में
खो गयी
जल की निमग्न धार

पूछो तो सही नदी से
क्यों
तुम्हारी आस्था इतनी छिछली

देखती रहीं तुम
निरासक्त
जल जैसी तरलता का
बालू जैसी शुष्कता में खो जाना

पहाड़-1

आओ ओ पेड़
ओ पहाड़
ओ आकाश
ओ झुरमुटों में उलझी बुरुंस की लताओं
मुझे छुओ

दृष्टिपथ से सीधे चलती चली जाओ
तुम्हारे और मेरे बीच
न संस्कार
न अहंकार
न युग, न युग पुरुष
न पीढ़ियों के नवजातों का दायित्व
न आगत
न अतीत की धुआँस
तुम्हारे और मेरे बीच
सब कुछ धुला-धुला, साफ-साफ

न तुम कहीं दमित
न मैं कहीं नमित
न कुछ पूरा मेरा
न कुछ पूरा तुम्हारा
दृष्टि के सेतु से झरते
आल्हाद में डूबता
यह अनिर्विच आवेग हमारा

पहाड़-2

मेरी खिड़की
हे पेड़
तुम्हारी भुजायें फैलीं
आवाहनती

इस पार
मेरी बाँहें
चौखट से आगे लहराती तो है
तुम तक पहुँच नहीं पातीं

इन दो छोरों के बीच
गड्ढा भर अन्तराल
तल में जा गिरने की सम्भावना
लहुलुहान हो जाने के भय की कठोरता
अपाटता के एहसास की जुड़ता

यह सब कुछ
क्या तुम्हें भी मालूम है पेड़?
या यह अभिशाप
मेरी आदमी होने का है!

पहाड़-3

कल रात
अटूट सन्नाटे में
तुम्हारे तालियाँ बजाते हाथ
अठखेलियाँ करते गात का
उन्मुक्त नाद
मैंने सुना
और गुना

पहाड़-4

सन्नाटे से कहो
कभी तो कुछ बोले

साँझ के चल निकलने के बाद
सूनी पगडंडियाँ
गुपचुप ढलानों पर
झिंपती गिरती राका में
अपनी युगाबद्ध जुटायें तो खोले

कभी तो कुछ बोले

देख लेना तुम

(एक)

देख लेना तुम
किसी दिन ऐसा दर्द जागेगा
खूँद दोगे तुम धरती
आकाश की उठान में छूँछा
हरियाली रहित शून्य देखकर

काटने को तत्पर हो जाओगे
अपनी ही कुल्हाड़ी से
अपने ही हाथ-पैर

सोचने लगोगे
क्यों न रक्त से सींच ले धरा
पानी और पेड़ का रिश्ता
जो तोड़ डाला था कभी
कौन जाने
इस जुगत से हो जाये हरा

देख लेना तुम
तुम्हारी रुखसत के दिन
पेड़ के अकुलाने
हिल-हिल जाने के सिवा

किसी ने कुछ नहीं कहा
सब खड़े रहे
चूना-पुती दीवारों के सहारे
निष्कम्प
न कोई डोला
न अकुलाया
न सीत्कार
न उच्छ्वास खींचा

ऐसा कैसे हुआ कि सब अभ्यस्त हुए
तुम्हारा बोया पेड़ नहीं!

(दो)

देख लेना तुम
'तुम' सिर्फ तुम
ही होओगे
जो कूच कर जाओगे
वह पेड़ तो सदियों तक जियेगा
जिसे रोपा था तुमने
अपने आदमीपन की अहम्मन्यता की
खुरपी से

माँ, तुमने कहा था

माँ, तुमने तो कहा था
हमें तैयारी करनी चाहिए तुम्हें खो देने की
क्योंकि वह भी
उस सीख का हिस्सा है
जिसे देनी थी तुम्हें
और सब चीज़ों की सीख की तरह
हमें

तुमने कहा था
हमें जानना है–
चीज़ें नित नयी, हर-हमेशा नहीं रहती
हमें जानना है, चीजों के बिना रहना
माँ के दुलार-मनुहार के बिना रहना
पिता जैसे आकाश के बिना रहना
घर जैसे पड़ाव के बिना रहना

माँ, तुमने कहा था
हमें होते जाना है परिपक्व,
चीज़ों से लगाव को लेकर
हमें 'तुम' हो जाना है
अपने आने-वाले बच्चों के सम्मुख

वह घड़ी पर, माँ
अभी तक नहीं आयी
वल्गा थमी रही हाथों में, राह जोहते
बातें सुनी नहीं बच्चों ने घुटनों से लगकर
जैसे हमने सुनी थीं
ठाकुरद्वारे की नन्हीं बत्ती अगोरते
तुम्हारे हाथों को निर्निमेष देखते

आकाशचारी पैर उनके
निकल गये
देश की सीमाओं से आगे
आकाश बदल गया यह वाला उनका
राह उनकी ज़रूर
उनके इरादों की अनुरागी रही होगी
पर
चीजों को खो देने का डर
जब उनके मन में जागेगा
तब उसका नाम क्या 'माँ' होगा?

आहट

प्यास की तरह धीरे-धीरे
अधजगे में
रेंगता आता है एक उपजाऊ संकल्प
अभी-अभी
दिन खुले के साथ
खुल जायेंगी पंखुड़ियाँ
अदृश्य सोता है पर होता तो है

होना हो गया होता
संकल्प सुलट गया होता
तलब कहीं और टहल गयी होती
एक पूरा रचना-कमल
पंखुड़ियों समेत
राग-पराग सहित
उग गया होता
नाभिनाल पर खड़ा इतराता

दिन
पर ढल जाता है
अनुर्वर उदासी का भार
छोटे और बड़े हाहाकार
गुत्थमगुत्था, अछोर
पंक्तियाँ के पिरोयेपन से उदासीन
संकल्प की मंशा, किसके अधीन
रात को सो जाने वाला दिन
क्यों नहीं जानता?

दर्शक सुखी थे

चौक में हत्या
दर्शक सुखी थे
न्योत ले गयी थी उन्हें
बगल में खड़े
एक सिनेमाघर की सीढ़ियाँ

जहाँ
निरापद बैठे देख सकते थे वे
आरामदेह अँधेरे का करिश्मा
दस हथियारबन्द दुश्मनी के बीच
साफ़ बच निकलता
कितना धीर वीर
निहत्था नायक

लबालब प्रभावित
वे कोस रहे थे
चौक पर मरे
नामुराद की चूहा-छाप कायरता!

थोड़ा-सा कुछ

माँगते रहे सदा
न जानते हुए कि कौन है जिससे
माँगा जाता है
कौन होता है दाता, कौन याचक
किसकी कैसी विसात
कौन जवाबदेह
प्रतिश्रुत!

एक कोई इबारत
रह-रह कर चिहुँक उठती है
चित्त की दीवारों के बीचोबीच
एक कातर पुकार
मुझे दो
मुझे दो थोड़ा-सा कुछ
दत्तचित्त शांत मन
थोड़ी-सी नींद
न क्रोध न लोभ
सरिता-प्रवाह के ईमान की तरह बहता चले कल्मष
आकाश के नीचे की हर कोई चीज़
साफ-सुथरी हो
पारदर्शी, धवल
यह कौन हँसा
ऐसे ठट्ठा कर अँधेरे में

क्या कहा?
इतना.....इतना....कुछ?

लिखना तो तुम्हें था

लिखना तो तुम्हें था
तुम्हारी वर्षगाँठ ऐसे बीते
जैसे लदा हुआ गुलमोहर
जैसे रहट के उड़ेलने पर
धरती से खिलवाड़ में झिलमिल जल
जैसे भोर के कानों को छूती
पहली पावनी सरगम
जैसे आस की आँख में छलकता उल्लास
जैसे खिलाड़ी की
धमनियों में ओज का आह्लाद

लिखना तो तुम्हें था
और भी कितना कुछ
पर मन के घायल होने का मर्म
तुम तो नहीं जानोगे मेरे बच्चे
तपती रेत पर नंगे पाँव चल रहा है
मेरा देश
तेरा भी देश, पर
तू सुखी तो है
अख़बार की तरह बाँचता है अपना देश
तू रचता है अपना काल
जहाँ
जो

जैसा-तैसा
तू चाहना चाहता है
मानकर धर लेता है अपने पास
सो भी जाता होगा
निर्भ्रान्त!

पर मैं?
किस अजानी मुट्ठी ने
भींच रखा है मन, कि
आशीषों की लय भी
खिंचकर नहीं आती
एक माँ की

मुग़ल गार्डन-1

आपने कहा–आओ, धन्यभाग
खुले हैं द्वार
कब से आया बैठा वसंत
गदरा चुकी क्यारियाँ
लजीले फूल रंगों से लाल
दूब लेटी है धानी आँचल डाल

आपने कहा-आओ, गहो, छुओ मत
निहारो, तोड़ो मत
चलते रहो खड़े मत रहो
हरे गलीचों के बीच बिछी जो
लाल पथरीली पगडंडियाँ
बस उन्हीं पर, लपकते चलो
ज़रा-सा इधर नहीं
उधर भी नहीं
संतरी की सीटियों और टोकनों के बीच सीधे चलो
चलो, चलो ज़रा जल्दी
अछूते गुज़रने का धर्म ही यहाँ वांछित

हाँ! हम छुयेंगे नहीं
नहीं, हम तोड़ेंगे भी नहीं
रुकेंगे नहीं
रौदेंगे नहीं

बस निरखेंगे, गहेंगे
सहेंगे-वह
जो आपसे अकेले
खुद भी सहा नहीं गया, कि
आपने हमें बुलाया
कहा-आओ, खुले हैं द्वार
धन्यभाग!

मुग़ल गार्डन-2

हमने मान लिया
फूल तुम्हारे हैं
फल तुम्हारे हैं
मखमली दुब तुम्हारी है
संतरी तुम्हारे हैं

मान लिया
उस चौहद्दी के बीच का आसमान
तुम्हारा है
सरहदों से टकरा कर आती हवा
तुम्हारी है

तुम भी जान लो
जड़ें हमारी हैं
खाद हमारी है
तुम्हें चौहद्दी भर धूप दे देने वाला
आकाश हमारा है
प्रकाश हमारा है
ढलानों से बहता आता पानी हमारा है
बीजों को लाद लाती हवा हमारी है
शेष सारी धरा हमारी है

मुग़ल गार्डन-3

बड़ा ही कड़ा पहरा था
ऊँचे लाल स्तम्भों की
पथरीली छाती पर
ऊँघते अकेलेपन को
नुकीली चीज़ से खुरचकर
किसी मनचले ने
फिर भी दे ही दिया अपना नाम

इधर-उधर ताकता
ऐसी भव्यता से आतंकित
वह जरूर खोज रहा होगा अपनी माप

हाथ आ गया होगा
अचानक
दूर पड़ा एक नुकीला पत्थर

छटपटाया होगा
बिसरा पाने को
अपना बौना-सा आमपन

खुरच दिया
टाँक दिया होगा
ऐसे अहरह वैभव के बीच
अपना भी कहीं
होनापन!